3
HA
W9-AKC-716
MIS PRIMERAS PAGINAS
JER Spanish Sillan
Sillani, Febe,
Celestino y el mono /
$8.99 ocn845354975
WITHDRAWN

Título original: *Celestino e la scimmietta*

© Febe Sillani
© Edizioni EL, 1995 (obra original)
© Hermes Editora General S. A. - Almadraba Editorial, 2009
www.almadrabaeditorial.com
© Clara Vallès, por la traducción del italiano

Impreso el mes de febrero de 2009

ISBN: 978-84-9270-240-4
Depósito legal: B-10.662-2009
Printed in Spain

# CELESTINO Y EL MONO

Febe Sillani

Almadraba
INFANTIL | JUVENIL

CELESTINO DA UNA VUELTA
POR LA JUNGLA
CON SUS AMIGOS.

«MIRAD», DICE CELESTINO.

DETRÁS DE UN ÁRBOL,
EL MONO PEPE LLORA
DESCONSOLADAMENTE.

PEPE TIENE MIEDO
DE TREPAR A LOS
ÁRBOLES COMO HACEN
LOS DEMÁS MONOS.

PEPE LLORA
CADA VEZ MÁS FUERTE.

«NO TE PREOCUPES,
NOSOTROS TE AYUDAREMOS»,
DICE EL TIGRE ENRIQUE.

LA JIRAFA RITA
PREPARA UN COLUMPIO
CON UNAS LIANAS.

PEPE HA DEJADO
DE LLORAR.

«¡SOCORRO! BAJADME DE AQUÍ!», GRITA PEPE, ASUSTADO.

¡EL HIPOPÓTAMO NICOLÁS LE HA EMPUJADO DEMASIADO FUERTE!

CELESTINO DEJA A PEPE
EN UNA RAMA BAJA.

«ASÍ TE ACOSTUMBRARÁS
A ESTAR SUBIDO A LOS
ÁRBOLES», LE DICE.

DE PRONTO, UN LEÓN SALE
DE UN MATORRAL.

«¡CORRED!»,
GRITAN TODOS.

AL LEÓN LE GUSTA MUCHO ASUSTAR A LOS DEMÁS ANIMALES.

EL HIPOPÓTAMO NICOLÁS DICE: «¡HABRÍA SIDO MEJOR QUEDARSE EN CASA!».

¿QUÉ ESTÁ PASANDO?

PEPE TIRA COCOS
A LA CABEZA DEL LEÓN
DESDE LO ALTO
DE UNA PALMERA.

EL LEÓN HUYE CORRIENDO
CON UN GRAN DOLOR
DE CABEZA.

TODOS GRITAN:
«¡BRAVO, PEPE!».

A PEPE YA NO LE DA MIEDO
TREPAR POR LOS ÁRBOLES.

SALTA FELIZ
DE UNA RAMA A OTRA
Y SALUDA A SUS AMIGOS.

...¡Y AHORA,
A JUGAR!

CELESTINO, PEPE, ENRIQUE
Y NICOLÁS SE DIVIERTEN
CON EL JUEGO DEL COCO.

GANA QUIEN LE HACE DAR MÁS VUELTAS AL COCO. CUÉNTALAS Y SABRÁS QUIÉN HA GANADO.

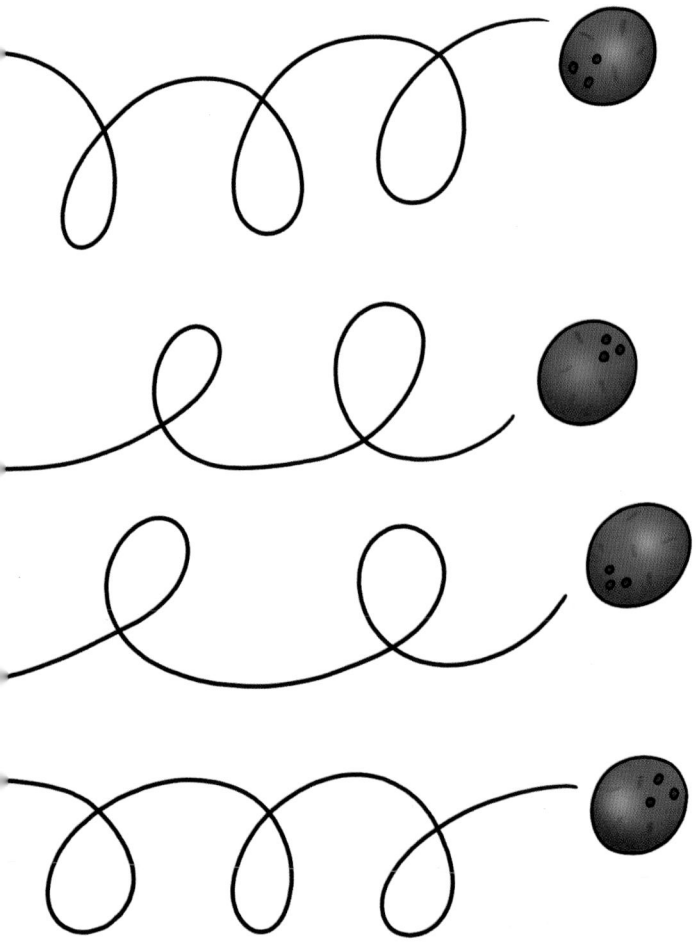

BUSCA LAS SEIS DIFERENCIAS QUE

HAY ENTRE LOS DOS DIBUJOS.

UNE LOS PUNTOS DEL 1 AL 14
Y DESCUBRIRÁS CUÁL ES

LA COMIDA FAVORITA
DEL MONO PEPE.

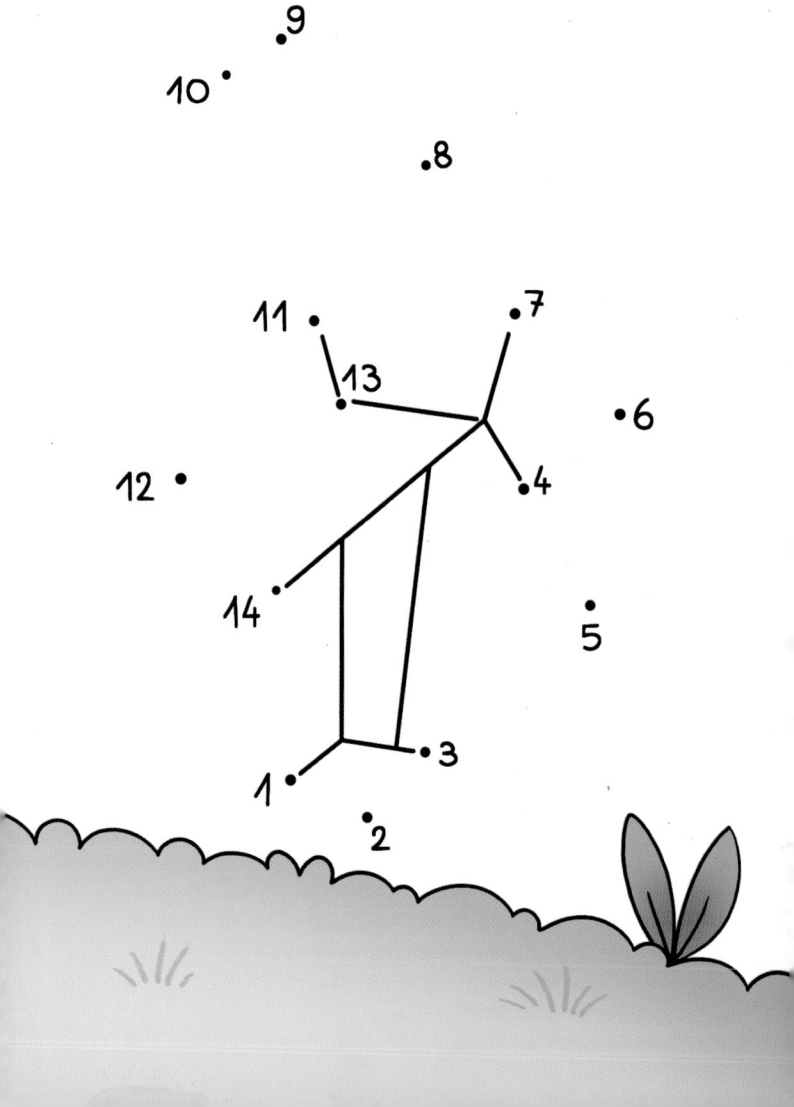

PEPE SE HA ESCONDIDO
EN LO ALTO
DE LA PALMERA.
AYUDA A CELESTINO
A ENCONTRARLO.

# MIS PRIMERAS PÁGINAS

1 LA VACA SARA, Agostino Traini
2 SAMANTA DA UN PASEO, Francesco Altan
3 EL PATO RENATO, Donatella Chiarenza
4 TINO VA AL COLEGIO, Francesco Altan
5 EL ÁRBOL PRESUMIDO, Nicoletta Costa
6 LAS OLIMPIADAS EN EL ESTANQUE, Silvia Vignale
7 ¡BUENAS NOCHES, TICO!, Silvia Vignale
8 LAS ESTACIONES EN EL ESTANQUE, Silvia Vignale
9 SAMANTA COGE EL TREN, Francesco Altan
10 EL ÁRBOL JUAN, Nicoletta Costa
11 CHIQUITA SE ENAMORA, Silvia Vignale
12 CLARA, CLAUDIA Y CARLA, Raffaella Bolaffio
13 UN CONCIERTO PARA LA NUBE OLGA, Nicoletta Costa
14 LA VACA SARA Y LA NATA MONTADA, Agostino Traini
15 TINO VISITA AL ABUELO, Francesco Altan
16 LA NUBE OLGA Y LA NIEVE, Nicoletta Costa
17 LA VACA SARA Y LA TORMENTA DE NIEVE, Agostino Traini
18 CELESTINO, Febe Sillani
19 LA VACA SARA Y EL OTOÑO, Agostino Traini
20 CELESTINO Y EL MONO, Febe Sillani
21 EL PETIRROJO PIPO, Francesco Altan
22 LA LUNA INÉS SE VA DE VACACIONES, Nicoletta Costa
23 LA NUBE OLGA, Nicoletta Costa
24 EL ÁRBOL JUAN Y LA PRIMAVERA, Nicoletta Costa
25 LA VACA SARA, CAMPESINA, Agostino Traini
26 BRUNO Y BLANCA, Raffaella Bolaffio
27 LA GALLINA CATALINA, Nicoletta Costa
28 EL PETIRROJO PIPO Y LA NIEVE, Francesco Altan
29 BRUNO Y BLANCA VAN DE EXCURSIÓN AL LAGO, Rafaella Bolaffio
30 CELESTINO VA AL CIRCO, Febe Sillani

Almadraba
INFANTIL JUVENIL

Harris County Public Library, Houston, TX